D1097728

Агния Барто

Стихи детям

художник С. Болотная

Издательский дом «Проф-Пресс»
Ростов-на-Дону
2008

ББК 84.(2Рос=Рус) 6
Б 24

ISBN 978-5-378-00192-7

Игрушки

Зайка

Зайку бросила хозяйка –
Под дождём остался зайка.
Со скамейки слезть не мог,
Весь до ниточки промок.

Мячик

Наша Таня громко плачет:
Уронила в речку мячик.
– Тише, Танечка, не плачь:
Не утонет в речке мяч.

Бычок

Идёт бычок, качается,
Вздыхает на ходу:
– Ох, доска кончается,
Сейчас я упаду!

Слон

Спать пора! Уснул бычок,
Лёг в коробку на бочок.
Сонный мишка лёг в кровать,
Только слон не хочет спать.
Головой кивает слон,
Он слонихе шлёт поклон.

Мишка

Уронили мишку на пол,
Оторвали мишке лапу.
Всё равно его не брошу –
Потому что он хороший.

Самолёт

Самолёт построим сами,
Понесёмся над лесами.
Понесёмся над лесами,
А потом вернёмся к маме.

Грузовик

Нет, напрасно мы решили
Прокатить кота в машине:
Кот кататься не привык —
Опрокинул грузовик.

Лошадка

Я люблю свою лошадку,
Причешу ей шёрстку гладко,
Гребешком приглажу хвостик
И верхом поеду в гости.

Флажок

Горит на солнышке
Флажок,
Как будто я
Огонь зажёг.

Кораблик

Матросская шапка,
Верёвка в руке,
Тяну я кораблик
По быстрой реке.
И скачут лягушки
За мной по пятам,
И просят меня:
— Прокати, капитан!

Козлёнок

У меня живёт козлёнок,
Я сама его пасу.
Я козлёнка в сад зелёный
Рано утром отнесу.

Он заблудится в саду —
Я в траве его найду.

Зайка в витрине

Зайка сидит в витрине,
Он в серенькой шубке из плюша.
Сделали серому зайке
Слишком длинные уши.

В плюшевой шубке серой
Сидит он, прижавшись к раме.
Ну как тут казаться храбрым
С такими большими ушами?

Сто одёжек

Лиф на байке,
Три фуфайки,
На подкладке
Платьице.
Шарф на шее,
Шаль большая,
Что за шарик
Катится?

Сто одёжек,
Сто застёжек.
Слова вымолвить
Не может.
"Так меня
Закутали,что я не знаю,
Тут ли я?"

Сторож

(Шутка)

Сидеть надоело мне
Лапы сложа,
Я очень хотел бы
Пойти в сторожа.

Висит объявленье
У наших ворот:
Собака нужна
Сторожить огород.

Ты меня знаешь —
Я храбрый щенок:
Появится кошка —
Собью её с ног.

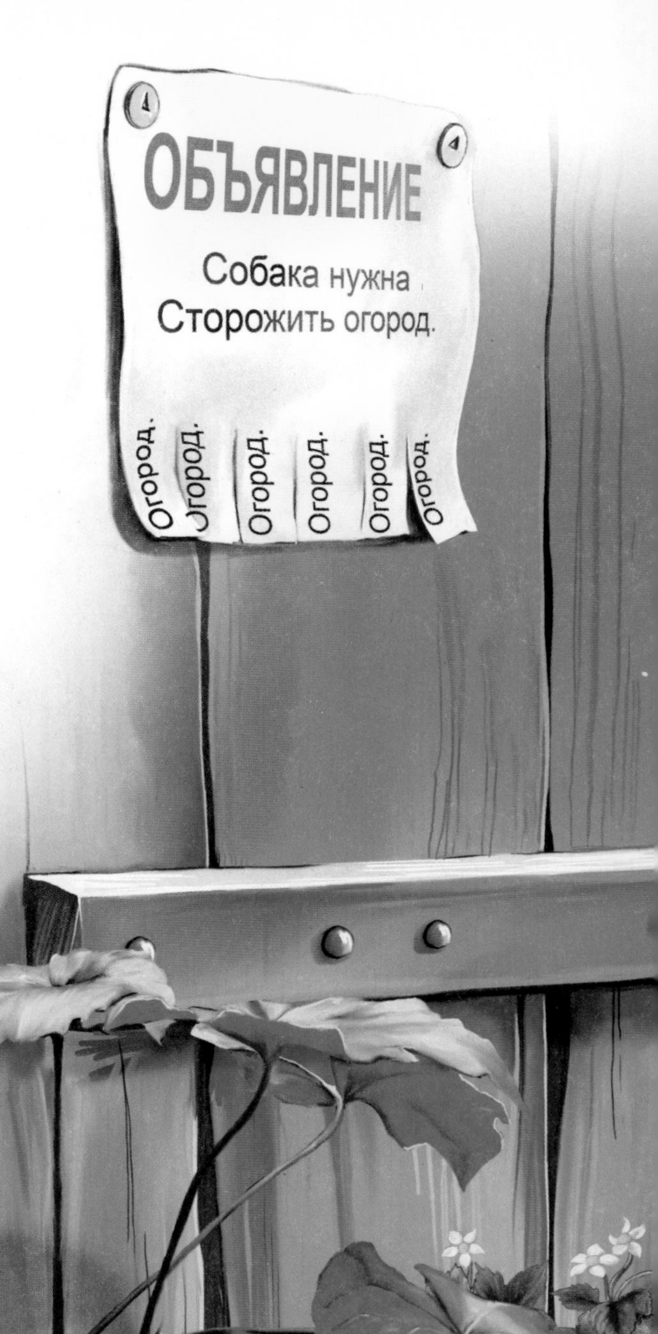

Я тявкать умею,
Умею рычать,
Умею своих
От чужих отличать.

Котята боятся меня
Как огня.
Скажи мне по совести:
Примут меня?

* * *

С утра на лужайку
Бегу я с мячом,
Бегу распеваю
Не знаю о чём...

А мячик, как солнце,
Горит надо мной,
Потом повернётся
Другой стороной
И станет зелёным,
Как травка весной.

Чудеса

— Чудеса! — сказала Люба.—
Шуба длинная была.
В сундуке лежала шуба,
Стала шуба мне мала.

Раковина

Я раковину эту
В коробке берегу.
Она лежала раньше
В песке на берегу.

Мой дедушка
С Кавказа
Привёз её с собой.
Её приложишь к уху —
А в ней шумит прибой
И ветер гонит волны...

И в комнате у нас
Мы можем слушать море,
Как будто здесь Кавказ.

Воробей

Воробей по лужице
Прыгает и кружится.
Пёрышки взъерошил он,
Хвостик распушил.
Погода хорошая!
Чил-чив-чил!

Фонарик

Мне не скучно без огня —
Есть фонарик у меня.
На него посмотришь днём —
Ничего не видно в нём,
А посмотришь вечерком —
Он с зелёным огоньком.
Это в баночке с травой
Светлячок сидит живой.

Барабан

Левой, правой!
Левой, правой!
На парад
Идёт отряд.

На парад
Идёт отряд.
Барабанщик
Очень рад:

Барабанит,
Барабанит
Полтора часа
Подряд!

Левой, правой!
Левой, правой!
Барабан
Уже дырявый!

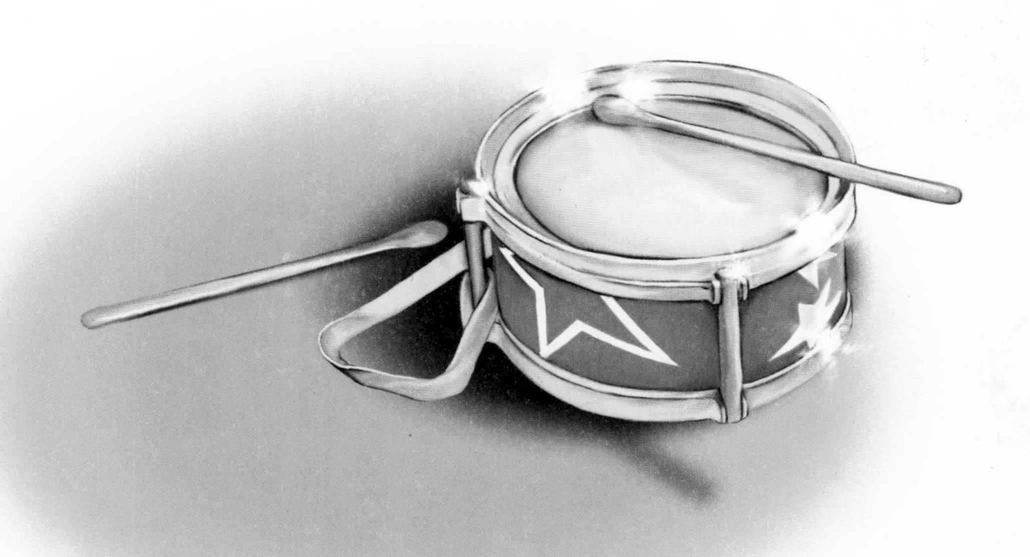

Смешной цветок

Смешной цветок поставлен в вазу!
Его не полили ни разу,
Ему не нужно влаги,
Он сделан из бумаги.

А почему такой он важный?
А потому, что он бумажный!

Младший брат

***

Звенели птичьи голоса,
В саду цвела сирень,
Весной Андрюша родился
В один хороший день.
Гордится мальчиком отец,
А Света –
Ей шесть лет –
Кричит братишке: – Молодец,
Что родился на свет!

Две сестры глядят на братца

Две сестры глядят на братца:
Маленький, неловкий,
Не умеет улыбаться,
Только хмурит бровки!
Младший брат чихнул спросонок,
Радуются сёстры:
– Вот уже растёт ребёнок –
Он чихнул, как взрослый!

A
B

Страшная птица

На окошко села птаха,
Брат закрыл глаза от страха:
Это что за птица?
Он её боится!

Клюв у этой птицы острый,
Встрёпанные перья.
Где же мама? Где же сёстры?
— Ну, пропал теперь я!

— Кто тебя, сынок, обидел? —
Засмеялась мама.—
Ты воробышка увидел
За оконной рамой.

Дом проснулся на заре

Дом проснулся на заре —
Слышно, как пила
Зазвенела во дворе,
Голос подала.

Слышно, как топор стучит...
Замолчал топор,
Завели дрова в печи
Тихий разговор.

Чайник в комнате запел:
„Я готов! Я закипел!
Пей горячий чай,
Чайник выключай!"

Бой часов, и скрип дверей,
И посуды звон
Слышит маленький Андрей
По утрам сквозь сон.

К этим звукам, голосам
Младший брат привык.
Громче всех кричит он сам —
Слышен в доме по утрам
Звонкий детский крик.

Погремушка

Как большой, сидит Андрюшка
На ковре перед крыльцом.
У него в руках игрушка —
Погремушка с бубенцом.

Мальчик смотрит — что за чудо?
Мальчик очень удивлён,
Не поймёт он: ну откуда
Раздаётся этот звон?

Башмаки

Брату впору башмаки:
Не малы, не велики.

Их надели на Андрюшку,
Но ни с места он пока —
Он их принял за игрушку,
Глаз не сводит с башмака.

Мальчик с толком,
С расстановкой занимается обновкой:
То погладит башмаки,
То потянет за шнурки.

Сел Андрей и поднял ногу,
Языком лизнул башмак...
Ну, теперь пора в дорогу,
Можно сделать первый шаг!

Разговор с мамой

Сын зовёт: — Агу, агу! —
Мол, побудь со мною.
А в ответ: — Я не могу,
Я посуду мою.

Но опять: — Агу, агу! —
Слышно с новой силой.
И в ответ: — Бегу, бегу,
Не сердись, мой милый!

Ути-ути

Рано, рано утречком
Вышла мама-уточка
Поучить утят.

Уж она их учит, учит!
Вы плывите, ути-ути,
Плавно, в ряд.

Хоть сыночек не велик,
Не велик,
Мама трусить не велит,
Не велит.

— Плыви, плыви,
Утёныш,
Не бойся,
Не утонешь.

Машенька

Кто, кто
В этой комнате живёт?
Кто, кто
Вместе с солнышком встаёт?

Это Машенька проснулась,
С боку на бок повернулась
И, откинув одеяло,
Вдруг сама на ножки встала.

Здесь не комната большая —
Здесь огромная страна.
Два дивана-великана,
Вот зелёная поляна —
Это коврик у окна.

Потянулась Машенька
К зеркалу рукой,
Удивилась Машенька:
"Кто же там такой?"

Она дошла до стула,
Немножко отдохнула,
Постояла у стола
И опять вперёд пошла.

* * *

Сорока-ворона
Кашку варила,
Кашку варила,
Маше говорила:
— Сначала кашку скушай,
Потом сказку слушай!

* * *

Стала Маша подрастать.
Надо дочку воспитать.
Есть у Маши дочка —
Ей скоро полгодочка.

* * *

Нарисуем огород,
Там смородина растёт —
Два куста смородины,
Ягоды, как бусины.
Чёрные — Володины,
Красные — Марусины.

***

Целый день поёт щегол
В клетке на окошке.
Третий год ему пошёл,
А он боится кошки.

А Маша не боится
Ни кошки, ни щегла.
Щеглу дала напиться,
А кошку прогнала.

A
B
C

***

Встали девочки в кружок,
Встали и примолкли.
Дед Мороз огни зажёг
На высокой ёлке.

Наверху звезда,
Бусы в два ряда.
Пусть не гаснет ёлка,
Пусть горит всегда!

***

Часы пробили восемь.
Сейчас затихнет дом,
Сейчас платок набросим
На клетку со щеглом.

Есть у Маши дочка,
Ей скоро полгодочка.
Она лежит не плачет,
Глаза от света прячет.
Чтоб у нас она спала,
Снимем лампу со стола.

***

Ходят тени по стене,
Будто птицы в тишине
Стаями летят.
Кошка сердится во сне
На своих котят.

Мы спать ложимся рано,
Сейчас закроем шторы,
Диваны-великаны
Теперь стоят, как горы...

Баю-баюшки-баю,
Баю Машеньку мою.

Из разных книжек

Гуси-лебеди

Малыши среди двора
Хоровод водили.
В гуси-лебеди игра,
Серый волк — Василий.

— Гуси-лебеди, домой!
Серый волк под горой!

Волк на них и не глядит,
Волк на лавочке сидит.

Собрались вокруг него
Лебеди и гуси.
— Почему ты нас не ешь? —
Говорит Маруся.

— Раз ты волк, так ты не трусь! —
Закричал на волка гусь. —
От такого волка
Никакого толка!

Волк ответил: — Я не трушу,
Нападу на вас сейчас,
Я доем сначала грушу,
А потом примусь за вас!

Перед сном

Зажигают фонари
За окном.
Сядь со мной,
Поговори
Перед сном.

Целый вечер
Ты со мной
Не была.
У тебя всё дела
Да дела.

У тебя я
Не стою
Над душой,
Я всё жду,
Всё молчу,
Как большой...

Сядь со мной,
Поговорим
Перед сном,
Поглядим
На фонари
За окном.

Мы не заметили жука

Наташе

Мы не заметили жука
И рамы зимние закрыли,
А он живой,
Он жив пока,
Жужжит в окне,
Расправив крылья...

И я зову на помощь маму:
— Там жук живой!
Раскроем раму!

Кто как кричит

Ку-ка-ре-ку́!
Кур стерегу.

Кудах-тах-тах!
Снеслась в кустах.

Пить, пить, пить!
Воды попить.

Мурр-мурр...
Пугаю кур.

Кра, кра, кра!
Завтра дождь с утра.

Му-у, му-у!
Молока кому?

Любитель – рыболов

С утра сидит на озере
Любитель-рыболов,
Сидит, мурлычет песенку,
А песенка без слов:

"Тра-ля-ля,
Тра-ля-ля,
Тра-ля-ля".

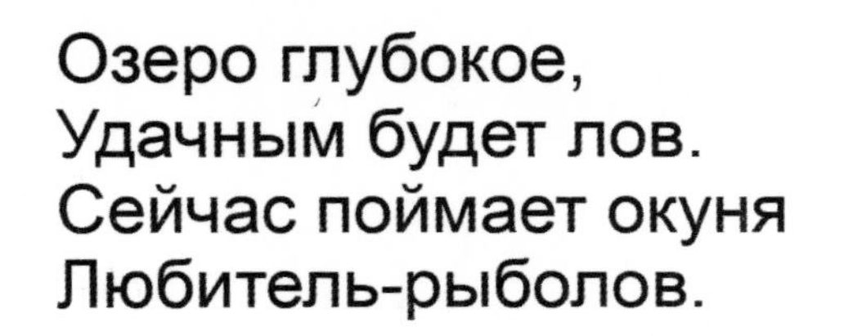

Озеро глубокое,
Удачным будет лов.
Сейчас поймает окуня
Любитель-рыболов.

"Тра-ля-ля,
Тра-ля-ля,
Тра-ля-ля".

Песенка чудесная —
И радость в ней, и грусть,
И знает эту песенку
Вся рыба наизусть.

"Тра-ля-ля,
Тра-ля-ля,
Тра-ля-ля".

Как песня начинается,
Вся рыба расплывается...
"Тра-ля!"

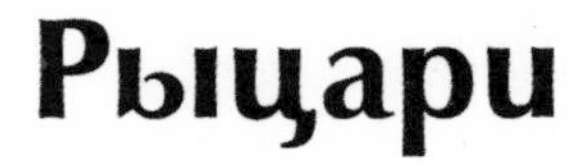

Рыцари

В коридоре, в классе ли —
Всюду стены красили,
Тёрли краску, тёрли мел,
Каждый делал, что умел.

Труд делили поровну
Мальчики и девочки:
Шкаф тащили в сторону
Девочки, девочки.

Шкаф тяжёлый с книгами,
С книгами
Три девчонки двигали,
Двигали.

А два парня-крепыша
Стул тащили не спеша.

Отдыхали девочки,
Отдыхали мальчики:
Девочки — на лавочке,
Парни — на диванчике.

Русалка

Однажды я, как на́зло,
Чуть в речке не завязла!

Я, как по острым стёклам,
Вскарабкалась на берег,
Кричу, что я утопла,
А мне никто не верит.

С меня потоки льются,
А девочки смеются.

Я в тине, как в зелёнке,
Себя мне стало жалко,
И я одной девчонке
Шепнула:— Я русалка.

Девчонка поглядела:
— Тогда другое дело!

Жил на свете самосвал

Жил на свете самосвал,
Он на стройке побывал,
Подкатил с утра к воротам.
Сторожа́ спросили: — Кто там? —
Самосвал ответил так:
— Я привёз отличный шлак.

Молодчина самосвал,
Где он только не бывал!

Он кирпич возил и гравий,
Но, увы, застрял в канаве!

Буксовал он, буксовал,
Еле вылез самосвал.
Говорит: — Меня не троньте,
Я сегодня на ремонте.
У меня помята рама!

— Алексей! — сказала мама. —
Ты успел в канаву влезть?

Дело в том, что самосвалом
Был Алёша, славный малый.
Сколько лет ему?
Лет шесть!

Самосвал сигналит громко:
— У меня сейчас поломка,
Но с утра я снова в путь.
— Хорошо,— сказала мама, —
Но пока Алёшей будь!
Молока попьёшь, и спать! —
Что ж, пришлось Алёшей стать!

Где Алёша? Спит уже,
Дома спит, не в гараже.

Катя

Мы целое утро
Возились с ростками,
Мы их посадили
Своими руками.

Мы с бабушкой вместе
Сажали рассаду,
А Катя ходила
С подругой по саду.

Потом нам пришлось
Воевать с сорняками,
Мы их вырывали
Своими руками.

Таскали мы с бабушкой
Полные лейки,
А Катя сидела
В саду на скамейке.

— Ты что на скамейке
Сидишь, как чужая?
А Катя сказала:
— Я жду урожая.

Сверчок

Папа работал,
Шуметь запрещал...
Вдруг
Под диваном
Сверчок
Затрещал.

Ищу под диваном —
Не вижу сверчка.
А он, как нарочно,
Трещит с потолка.

То близко сверчок,
То далёко сверчок,
То вдруг застрекочет,
То снова молчок.

Летает сверчок
Или ходит пешком?
С усами сверчок
Или с пёстрым брюшком?

А вдруг он лохматый
И страшный на вид?
Он выползет на пол
И всех удивит.

Петька сказал мне:
— Давай пятачок,
Тогда я скажу тебе,
Что за сверчок.

Мама сказала:
— Трещит без конца!
Выселить нужно
Такого жильца!

Везде мы искали.
Где только могли.
Потерянный зонтик
Под шкафом
Нашли,

Нашли под диваном
Футляр от очков,
Но никаких
Не поймали
Сверчков.

Сверчок — невидимка,
Его не найдёшь.
Я так и не знаю,
На что он похож.

Игра в стадо

Мы вчера играли в стадо,
И рычать нам было надо.
Мы рычали и мычали,
По-собачьи лаяли,
Не слыхали замечаний
Анны Николаевны.

А она сказала строго:
— Что за шум такой у вас?
Я детей видала много —
Таких я вижу в первый раз.

Мы сказали ей в ответ:
— Никаких детей тут нет!
Мы не Пети и не Вовы —
Мы собаки и коровы!

И всегда собаки лают,
Ваших слов не понимают.
И всегда мычат коровы,
Отгоняя мух.

А она в ответ: — Да что вы?
Ладно, если вы коровы,
Я тогда — пастух.
И прошу иметь в виду:
Я коров домой веду.

Уехали

Щенка кормили молоком,
Чтоб он здоровым рос.
Вставали ночью и тайком
К нему бежали босиком —
Ему пощупать нос.

Учили мальчики щенка,
Возились с ним в саду,
И он, расстроенный слегка,
Шагал на поводу.

Он на чужих ворчать привык,
Совсем как взрослый пёс,
И вдруг приехал грузовик
И всех ребят увёз.

Он ждал: когда начнут игру?
Когда зажгут костёр?
Привык он к яркому костру,
К тому, что рано поутру
Труба зовёт на сбор.
И лаял он до хрипоты
На тёмные кусты.

Он был один в саду пустом,
Он на террасе лёг.
Он целый час лежал пластом,
Он не хотел махать хвостом,
Он даже есть не мог.

Ребята вспомнили о нём —
Вернулись с полпути.
Они войти хотели в дом,
Но он не дал войти.

Он им навстречу, на крыльцо,
Он всех подряд лизал в лицо.
Его ласкали малыши,
И лаял он от всей души.

Не одна

Мы не ели, мы не пили,
Бабу снежную лепили.

Снег февральский, слабый-слабый,
Мялся под рукой,
Но как раз для снежной бабы
Нужен нам такой.

Нам работать было жарко:
Будто нет зимы,
Будто взял февраль у марта
Тёплый день взаймы.

Улыбаясь как живая,
В парке, в тишине
Встала баба снеговая
В белом зипуне.

Но темнеет — вот досада! —
Гаснет свет зари,
По домам ребятам надо,
Что ни говори!

Вдруг нахмурилась Наталка,
Ей всего лет пять,
Говорит: — Мне бабу жалко,
Что ж ей тут стоять?

Скоро стихнет звон трамвая
И взойдёт луна,
Будет баба снеговая
Под луной одна?

Мы столпились возле бабы,
Думали — как быть?
Нам подружку ей хотя бы
Нужно раздобыть.

Мы не ели, мы не пили,
Бабу новую слепили.

Скоро стихнет звон трамвая
И взойдёт луна,
Наша баба снеговая
Будет не одна.

Дело было в январе

Дело было в январе,
Стояла ёлка на горе,
А возле этой ёлки
Бродили злые волки.

Вот как-то раз,
Ночной порой,
Когда в лесу так тихо,
Встречают волка под горой
Зайчата и зайчиха.

Кому охота в Новый год
Попасться в лапы волку!
Зайчата бросились вперёд
И прыгнули на ёлку.

Они прижали ушки,
Повисли, как игрушки.

Десять маленьких зайчат
Висят на ёлке и молчат —
Обманули волка.
Дело было в январе, —
Подумал он, что на горе
Украшенная ёлка.

В школу

Почему сегодня Петя
Просыпался десять раз?
Потому что он сегодня
Поступает в первый класс.

Он теперь не просто мальчик,
А теперь он новичок,
У него на новой куртке
Отложной воротничок.

Он проснулся ночью тёмной,
Было только три часа.
Он ужасно испугался,
Что урок уж начался.

Он оделся в две минуты,
Со стола схватил пенал,
Папа бросился вдогонку,
У дверей его догнал.

За стеной соседи встали,
Электричество зажгли,
За стеной соседи встали,
А потом опять легли.

Разбудил он всю квартиру,
До утра заснуть не мог.
Даже бабушке приснилось,
Что она твердит урок.

Даже дедушке приснилось,
Что стоит он у доски
И не может он на карте
Отыскать Москвы-реки.

Почему сегодня Петя
Просыпался десять раз?
Потому что он сегодня
Поступает в первый класс.

MAMA

Я выросла

Мне теперь не до игрушек —
Я учусь по букварю,
Соберу свои игрушки
И Сереже подарю.

Деревянную посуду
Я пока дарить не буду.
Заяц нужен мне самой —
Ничего, что он хромой,

А медведь измазан слишком...
Куклу жалко отдавать:
Он отдаст ее мальчишкам
Или бросит под кровать.

Паровоз отдать Сереже?
Он плохой, без колеса...
И потом, мне нужно тоже
Поиграть хоть полчаса!

Мне теперь не до игрушек —
Я учусь по букварю...
Но я, кажется, Сереже
Ничего не подарю.

Юный натуралист

В пустой коробке спичечной
Целая семья,
В пустой коробке спичечной
Четыре муравья.

Я изучаю их привычки,
Их образ жизни,
Внешний вид.

— Положи на место спички! —
Вдруг мне бабушка велит.

Не удалось мне стать учёным,
Пришлось на место спички класть.

А муравьи в траве зелёной
Успели скрыться
И пропасть.

Дом переехал

Возле Каменного моста,
Где течет Москва-река,
Возле Каменного моста
Стала улица узка.

Там на улице заторы,
Там волнуются шофёры.
— Ох,— вздыхает постовой,—
Дом мешает угловой!

Сёма долго не был дома —
Отдыхал в Артеке Сёма,
А потом он сел в вагон,
И в Москву вернулся он.

Вот знакомый поворот —
Но ни дома, ни ворот!
И стоит в испуге Сёма
И глаза руками трёт.

Дом стоял
На этом месте!
Он пропал
С жильцами вместе!

— Где четвёртый номер дома?
Он был виден за версту! —
Говорит тревожно Сёма
Постовому на мосту.—

Возвратился я из Крыма,
Мне домой необходимо!
Где высокий серый дом?
У меня там мама в нём!

Постовой ответил Сёме:
— Вы мешали на пути,
Вас решили в вашем доме
В переулок отвезти.

Поищите за углом —
И найдёте этот дом.

Сёма шепчет со слезами:
— Может, я сошёл с ума?
Вы мне, кажется, сказали,
Будто движутся дома?

Сёма бросился к соседям,
А соседи говорят:
— Мы всё время, Сёма, едем,
Едем десять дней подряд.

Тихо едут стены эти,
И не бьются зеркала,
Едут вазочки в буфете,
Лампа в комнате цела.

— Ой,— обрадовался
Сёма, —
Значит, можно ехать
Дома?

Ну, тогда в деревню летом
Мы поедем в доме этом!
В гости к нам придёт сосед:
"Ах!" — а дома... дома нет.

Я не выучу урока,
Я скажу учителям:
— Все учебники далёко:
Дом гуляет по полям.

Вместе с нами за дровами
Дом поедет прямо в лес.
Мы гулять — и дом за нами,
Мы домой — а дом... исчез.

Дом уехал в Ленинград
На Октябрьский парад.
Завтра утром, на рассвете,
Дом вернётся, говорят.

Дом сказал перед уходом:
"Подождите перед входом,
Не бегите вслед за мной —
Я сегодня выходной".

— Нет,— решил сердито Сёма,—
Дом не должен бегать сам!
Человек — хозяин дома,
Всё вокруг послушно нам.

Захотим — и в море синем,
В синем небе поплывём!
Захотим —
И дом подвинем,
Если нам мешает дом!

Игра в слова

Милочка – копилочка

Утром запонка
пропала,
и от папы
всем попало.
А когда
пропал
и галстук,
папа
даже
испугался.

А когда
пропала
бритва,
началась
в квартире
битва.

Папа лазил
под диваны,
двигал кресла
и кровать,
шарил палками
под ванной,
стал со шкапом
воевать.

Но ни запонки,
ни бритвы
бедный папа
не нашёл,
и сердитый
и небритый
он без галстука
ушёл.

Все полезли
под диваны,
двигать начали
кровать,
шарить палками
под ванной,
чемоданы
открывать.

Три часа
без передышки,
перетряхивали
книжки.
Проползали
по паркету
и шептали:
— Нету, нету...

Почему в углу
котята
подозрительно
пищат?
Может, скушали
котята
папин галстук
натощак?

Может, он
попал
в корыто?
Вся квартира
перерыта,
нету галстука
нигде —
ни на суше,
ни в воде.

— Мила,
Милочка,
Людмила! —
Мама
Милочку
будила.

Мила спрыгнула
с кровати,
на ходу
надела платье
и помчалась
на подмогу
в башмаках
на босу ногу.

Залезала
под диваны,
рылась в печке
и под ванной;
даже нос
у Милы в саже —
до того старалась
даже!

Открывала
чемоданы...
Только вдруг
раздался стук,
и у Милы
из кармана
что-то
выкатилось
вдруг.

Покатились
из прорехи
и катушки
и орехи,
камни,
запонки
и пробки,
бритва папина
в коробке.

Не под ванной,
не в диване, —
всё у Милочки
в кармане.

— Вот так
наша Милочка,
Милочка-
копилочка!

Что ж ты
лезла под диваны,
рылась в печке
и под ванной?

И призналась
Милочка,
Милочка-
копилочка:

— Потому что
интересно
лазить
в печку
и под кресло.

Любочка

Синенькая юбочка,
Ленточка в косе.
Кто не знает Любочку?
Любу знают все.

Девочки на празднике
Соберутся в круг.
Как танцует Любочка!
Лучше всех подруг.

Кружится и юбочка,
И ленточка в косе.
Все глядят на Любочку,
Радуются все.

Но если к этой Любочке
Вы придёте в дом,
Там вы эту девочку
Узнаете с трудом.

Она кричит ещё с порога,
Объявляет на ходу:
— У меня уроков много,
Я за хлебом не пойду!

Едет Любочка в трамвае —
Она билета не берёт.
Всех локтями раздвигая,
Пробирается вперёд.

Говорит она, толкаясь:
— Фу! Какая теснота! —
Говорит она старушке:
— Это детские места.
— Ну садись! — вздыхает та.

Синенькая юбочка,
Ленточка в косе.
Вот какая Любочка
Во всей своей красе.

Случается, что девочки
Бывают очень грубыми,
Хотя необязательно
Они зовутся Любами.

Верёвочка

Весна, весна на улице,
Весенние деньки!
Как птицы, заливаются
Трамвайные звонки.

Шумная, весёлая,
Весенняя Москва.
Ещё не запылённая,
Зелёная листва.

Галдят грачи на дереве,
Гремят грузовики.
Весна, весна на улице,
Весенние деньки!

Тут прохожим не пройти:
Тут верёвка на пути.
Хором девочки считают
Десять раз по десяти.

Это с нашего двора
Чемпионы, мастера
Носят прыгалки в кармане,
Скачут с самого утра.

Во дворе и на бульваре,
В переулке и в саду,
И на каждом тротуаре
У прохожих на виду,
И с разбега,
И на месте,
И двумя ногами
Вместе.

Вышла Лидочка вперёд,
Лида прыгалку берёт.

Скачут девочки вокруг
Весело и ловко.
А у Лидочки из рук
Вырвалась верёвка.

— Лида, Лида, ты мала!
Зря ты прыгалку взяла! —
Лида прыгать не умеет,
Не доскачет до угла!

Рано утром в коридоре
Вдруг раздался топот ног.
Встал сосед Иван Петрович,
Ничего понять не мог.

Он ужасно возмутился,
И сказал сердито он:
— Почему всю ночь в передней
Кто-то топает, как слон? —

Встала бабушка с кровати —
Всё равно вставать пора!
Это Лида в коридоре
Прыгать учится с утра.

Лида скачет по квартире
И сама считает вслух,
Но пока ей удаётся
Досчитать всего до двух.

Лида просит бабушку:
— Немножко поверти!
Я уже допрыгала
Почти до десяти.

— Ну, — сказала бабушка, —
Не хватит ли пока?
Внизу, наверно, сыплется
Извёстка с потолка.

Весна, весна на улице,
Весенние деньки!
Галдят грачи на дереве,
Гремят грузовики.

Шумная, весёлая,
Весенняя Москва.
Ещё не запылённая,
Зелёная листва.

Вышла Лидочка вперёд,
Лида прыгалку берёт.

— Лида, Лида! Вот так Лида! —
Раздаются голоса. —
Посмотрите, эта Лида
Скачет целых полчаса!

— Я и прямо,
Я и боком,
С поворотом,
И с прискоком,
И с разбега,
И на месте,
И двумя ногами
Вместе...

Доскакала до угла.
— Я б не так ещё могла!

Весна, весна на улице,
Весенние деньки!
С книжками, с тетрадками
Идут ученики.

Полны веселья шумного
Бульвары и сады.
И сколько хочешь радуйся,
Скачи на все лады.

Игра в слова

1

Скажи погромче
Слово "гром" —
Грохочет слово,
Словно гром.

Скажи потише:
"Шесть мышат" —
И сразу мыши
Зашуршат.

Скажи:
"Кукушка на суку."
Тебе послышится:
"Ку-ку".

А скажешь слово
"Листопад" —
И листья падают,
Летят,
И, словно наяву,
Ты видишь осень:
Жёлтый сад
И мокрую траву.

Скажи "Родник" —
И вот возник,
Бежит в зелёной чаще
Весёлый ключ журчащий.
Мы и родник зовём ключом
(Ключ от дверей тут ни при чём.)

2

Дождь пошёл и не проходит,
Дождь, дождь.
Дождь идёт, хотя не ходит
Дождь, дождь.
Он прохожим хлещет в лица,
Дождь, дождь.
Долго-долго будет литься
Дождь, дождь.

Он будет лить часы подряд
На крышу, на дорогу.
Об этом тучи говорят,
Хоть говорить не могут.

3

Отца спросила дочка:
— Не знаю, как прочесть,
Есть слово "проволóчка"
И "прóволочка" есть.
А что такое "áтлас"?
Его приносят в класс?
Я прочитала "áтлас",
Но есть ведь и "атлáс".

Отец ответил:
— Дочка,
Уймись на полчасочка.

4

Не поймёт Егорка,
Что за поговорка:
"Моя хата с краю, —
Ничего не знаю".

Поговорка неправа,
Это старые слова.

Где бы хата ни была,
С краю иль не с краю,
Я за общие дела
Тоже отвечаю.

5

Мальчик Витя перед вами.
Он вступает в разговор.
Он бросается словами,
Будто кольцами жонглёр.

Вот клянётся он кому-то:
— Ты да я теперь друзья!
Но уже через минуту
Он кричит:
— При чём тут я!

6

Слова бывают разные,
Бывают неотвязные.
Вот, например, к Володе
Пристало слово "вроде".

Спросите у Володи:
— Ты пионер?
— Да вроде.
— Работал в огороде? —
А он опять:
— Да вроде.

***

Слова бывают разные,
Хорошие, простые,
Слова бывают праздные —
Ненужные, пустые.

Арифметика

Четыре года Светику,
Он любит арифметику.

Светик радостную весть
Объявляет всем:
— Если к двум прибавить шесть,—
Это будет семь! —

Услыхав его слова,
Юра стал считать:
— Нет, к шести прибавить два —
Это будет пять!

Спор горячий начался,
Разделились голоса.

Загибает пальчики
Толстенькая Тая:
— Не мешайте, мальчики,
Тише! Я считаю!

Трудно шесть прибавить к двум,
Не смолкает крик и шум.

Настя знает правила:
Два к шести прибавила,
И, скажи на милость,
Восемь получилось!

Сонечка

Тронь её нечаянно —
Сразу: — Караул!
Ольга Николаевна,
Он меня толкнул!

— Ой, я укололась! —
Слышен Сонин голос. —
Мне попало что-то в глаз,
Я пожалуюсь на вас!

Дома снова жалобы:
— Голова болит...
Я бы полежала бы —
Мама не велит.

Сговорились мальчики:
— Мы откроем счет:
Сосчитаем жалобы —
Сколько будет в год?

Испугалась Сонечка
И сидит тихонечко.

Я лишний

Окапывали вишни.
Сергей сказал: — Я лишний.
Пять деревьев, пять ребят —
Я напрасно вышел в сад.

А как поспели вишни,
Сергей выходит в сад.
— Ну нет, теперь ты лишний! —
Ребята говорят.

Мы с Тамарой

Целый день
Трезвонит Таня:
— Мы заведуем
Бинтами,
Мы с Тамарой
Ходим парой,
Санитары
Мы с Тамарой.

Если что-нибудь
Случится,
Приходите к нам
Лечиться.

Мы умеем
Класть компресс:
Мы с Тамарой
Красный Крест.

Можем сделать
Вам припарки,
Дать целебную траву!
Мы с Тамарой —
Санитарки,
Я недаром вас зову.

Санитарам
Не везёт:
Есть и марля,
Есть и йод,
Не хватает
Пустяков —
Нет ни ран,
Ни синяков…

Наконец
Нашлась работа
И для Красного Креста.

Наконец
Ушибся кто-то.
Санитары!
На места!

Почему у Тани вдруг
На лице такой испуг?
Почему у Тани вдруг
Вата валится из рук?

Руки Танины
Ослабли:
— Ой, у Вовочки
Порез!

И, увидев
Крови капли,
Разревелся
Красный Крест.

— Вот, ребята,
Йод и вата,
Вот и марля
И бинты...

Только я
Не виновата.
Забинтуй, Тамара, ты!

Целый день
Трезвонит Таня:
— Мы заведуем
Бинтами.

Мы с Тамарой
Ходим парой,
Санитары
Мы с Тамарой.

Может, сделать
Вам припарки?
Дать целебную траву?

Мы с Тамарой
Санитарки:
Тамара лечит,
Я — реву...

Жадный Егор

Ой, какой стоит галдёж!
Пляшут комсомолки.
Так танцует молодёжь,
Что не хочешь, да пойдёшь
Танцевать на ёлке.

Тут поёт весёлый хор,
Здесь читают басни...
В стороне стоит Егор,
Толстый третьеклассник.

Первым он пришёл на бал
В школьный клуб на ёлку.
Танцевать Егор не стал:
— Что плясать без толку?

Не глядит он на стрекоз
И на рыбок ярких.
У него один вопрос:
— Скоро будет Дед Мороз
Выдавать подарки?

Людям весело, смешно,
Все кричат: — Умора!
Но Егор твердит одно:
— А подарки скоро?

Волк и заяц, и медведь —
Все пришли на ёлку.
— А чего на них глазеть,
Хохотать без толку?

ПОДАРОК

Началось катанье с гор,
Не катается Егор:
— Покатаюсь в парке!

У него один вопрос:
— Скоро будет Дед Мороз
Выдавать подарки? —

Дед Мороз играет сбор:
— Вот подарки, дети!
Первым выхватил Егор
Золотой пакетик.

В уголке присел на стул,
Свой подарок завернул
С толком, с расстановкой,
Завязал бечёвкой.

А потом спросил опять:
— А на ёлке в парке
Завтра будут выдавать
Школьникам подарки?

Про Вовку, черепаху и кошку

Случилось вот какое дело —
Черепаха похудела!

— Стала маленькой головка,
Хвостик слишком тонок! —
Так сказал однажды Вовка,
Насмешил девчонок.

— Похудела? Ну, едва ли! —
Девочки смеются.—
Молока мы ей давали,
Выпила всё блюдце.

Черепаха панцирь носит!
Видишь, высунула носик
И две пары ножек!
Черепаха панцирь носит,
Похудеть не может.

— Черепаха похудела! —
Уверяет Вова. —
Нужно выяснить, в чём дело,
Может, нездорова?

Смотрит Вовка из окошка,
Видит он — крадётся кошка,
Подошла, лизнула блюдце...
Экая плутовка!
Нет, девчонки зря смеются!

— Вот, — кричит им Вовка,—
Поглядите, кошка съела
Завтрак черепаший!
Черепаха похудела
Из-за кошки вашей!

Почему Вовка рассердился

Андрюшка — вот хитряга —
Без хитростей ни шага!

Он мяч бросал на крышу
Однажды поутру.
Кричат ему: — Ты слышишь,
Кончай эту игру! –

А он хитрит: — Не слышу. —
И снова — мяч на крышу.

Он кошке дал подножку,
Толкнул её украдкой,
Сказал, что учит кошку
Быть кошкой-акробаткой.

Он в саже весь и в копоти,
Хитрит: — Вы мне похлопайте,
Я выхожу на вызовы,
Я клоун в телевизоре.

Андрюшка — вот хитряга —
Без хитростей ни шага!
— Я спать на травку лягу,
Кровать нехороша…

Рассердился на хитрягу
Вовка — добрая душа.

Прибежали все соседки,
Говорят: — Вот случай редкий —
Вовка машет кулаком!
Что случилось с добряком?

Взял он за плечи Андрюшу
И давай трясти как грушу!

— Нужно эти хитрости
Из Андрюши вытрясти!..

Как Вовка бабушек выручил

На бульваре бабушки
Баюкают внучат,
Поют внучатам ладушки,
А малыши кричат.

Расплакались две Оленьки,
Им жарко в летний зной,
Андрей, в коляске, голенький,
Вопит как заводной.

— Ладушки, ладушки...—
Ох, устали бабушки,
Ох, крикунью Ирочку
Нелегко унять.

Что́ ж, опять на выручку
Вовку нужно звать.
— Вовка — добрая душа,
Позабавь-ка малыша!

Подошёл он к бабушкам,
Встал он с ними рядышком,
Вдруг запрыгал и запел:
— Ладушки, ладушки!

Замолчали крикуны,
Так они удивлены:
Распевает ладушки
Мальчик вместо бабушки.

Засмеялись сразу обе
Маленькие Оленьки,
И Андрей не хмурит лобик,
А хохочет, голенький.

Вовка пляшет на дорожке:
— Ладушки, ладушки!
— Вот какой у нас помощник! —
Радуются бабушки.

Говорят ему:
— Спасибо!
Так плясать
Мы не смогли бы!

Есть такие мальчики

Мы на мальчика глядим —
Он какой-то нелюдим!
Хмурится он, куксится,
Будто выпил уксуса.

В сад выходит Вовочка,
Хмурый, словно заспанный.
— Не хочу здороваться,
Прячет руку за спину.

Мы на лавочке сидим,
Сел в сторонку нелюдим,
Не берет он мячика,
Он вот-вот расплачется.

Думали мы, думали,
Думали — придумали:
Будем мы, как Вовочка,
Хмурыми, угрюмыми.

Вышли мы на улицу —
Тоже стали хмуриться.

Даже маленькая Люба —
Ей всего-то года два —
Тоже выпятила губы
И надулась, как сова.

— Погляди! — кричим мы Вове.—
Хорошо мы хмурим брови?

Он взглянул на наши лица,
Собирался рассердиться,
Вдруг как расхохочется.
Он не хочет, а хохочет
Звонче колокольчика.

Замахал на нас рукой:
— Неужели я такой?

— Ты такой! — кричим мы Вове,
Все сильнее хмурим брови.

Он пощады запросил:
— Ой, смеяться нету сил!

Он теперь неузнаваем,
С ним на лавочке сидим
И его мы называем:
Вова — бывший нелюдим.

Он нахмуриться захочет,
Вспомнит нас и захохочет.

Медвежонок — невежа

(Сказка для маленьких и больших)

Был сынок у маменьки —
Медвежонок маленький.
В маму был фигурою —
В медведицу бурую.

Уляжется медведица
Под деревом, в тени,
Сын рядом присоседится,
И так лежат они.

Он упадёт. — Ах, бедненький! —
Его жалеет мать. —
Умнее в заповеднике
Ребёнка не сыскать!

Сыночек дисциплины
Совсем не признаёт!
Нашёл он мёд пчелиный —
И грязной лапой в мёд!

Мать твердит:
— Имей в виду —
Так нельзя
Хватать еду! —
А он как начал чавкать,
Измазался в меду.

Мать за ним ухаживай,
Мучайся с сынком:
Мой его, приглаживай
Шёрстку языком.

Родители беседуют —
Мешает он беседе.
Перебивать не следует
Взрослого медведя!

Вот он примчался к дому
И первый влез в берлогу —
Медведю пожилому
Не уступил дорогу.

Вчера пропал куда-то,
Мамаша сбилась с ног!

Взъерошенный, лохматый
Пришёл домой сынок
И заявляет маме:
— А я валялся в яме.

Ужасно он воспитан,
Всю ночь ревёт, не спит он!
Он мать изводит просто.
Тут разве хватит сил?
Пошёл сыночек в гости —
Хозяйку укусил,
А медвежат соседки
Столкнул с высокой ветки.

Медведица бурая
Три дня ходила хмурая,
Три дня горевала:
— Ах, какая дура я —
Сынка избаловала!

Советоваться к мужу
Медведица пошла:
— Сынок-то наш всё хуже,
Не ладятся дела!

Не знает он приличий —
Он дом разрушил птичий,
Дерётся он в кустах,
В общественных местах!

Заревел в ответ медведь:
— Я при чём тут, жёнка?
Это мать должна уметь
Влиять на медвежонка!
Сынок — забота ваша,
На то вы и мамаша.

Но вот дошло и до того,
Что на медведя самого,
На родного папу,
Мишка поднял лапу!

Отец, сердито воя,
Отшлёпал сорванца
(Задело за живое,
Как видно, и отца.).

А медведица скулит,
Сына трогать не велит:
— Бить детей недопустимо!
У меня душа болит...

Нелады в семье
Медвежьей —
А сынок
Растёт невежей!

Я знаю понаслышке,
И люди говорят,
Что такие мишки
Есть среди ребят.

СОДЕРЖАНИЕ

Серия «Любимые сказки малышам»
Литературно-художественное издание
Для дошкольного и младшего школьного возраста

А. Л. Барто

СТИХИ ДЕТЯМ

*

Дизайн обложки
М. Пыльцын
Художник
С. Болотная

*

Редактор
Т. Рашина

*

Верстка
К. Красуля

*

Корректор
М. Лысая

Торговое представительство:
Ростов-на-Дону
тел. (863) 230-40-21, факс 230-40-23
E-mail: book@prof-press.ru
http://www.profpress.ru
Донецк (Украина)
тел. (0622) 58-17-97
Киев, Украина
(044) 464-49-46.
E-mail: kredok@i.com.ua

Код по классификации ОК 005-93 (ОКП) 95 3000. Книги и брошюры.
Санитарно-эпидемиологическое заключение
№ 61.РЦ.10.953.П.007352.12.07 от 14.02.2008 г.
Подписано в печать 14.03.2008. Формат 84 x 108/16. Бумага офсетная. Печать офсетная. Гарнитура «Школьная».
Усл. печ. л. 9. Заказ№ 550. Тираж 30 000

Для писем:
Издательский Дом «Проф-Пресс», а/я 5782,
Ростов-на-Дону, 344019, редакция.

Отпечатано в ООО «Издательский дом «Проф-Пресс»,
344065, Ростов-на-Дону, ул. Орская 12В;
тел.: (863) 230-42-02.
Переплётно-брошюровочные работы произведены ЗАО «Книга»,
г. Ростов-на-Дону, ул. Советская, 57.